Remo Giazotto

ADAGIO
IN SOL MINORE

PER ARCHI E ORGANO

su due spunti tematici e su un basso numerato di
TOMASO ALBINONI

RICORDI

Nota

Il presente « Adagio » faceva parte di una **Sonata a tre** albinoniana in sol minore senza numero d'opus di cui ci sono pervenuti solo il basso numerato (a stampa) e due frammenti del primo violino (manoscritti). La parte del basso numerato, con i frammenti della parte del primo violino, fu inviata al Maestro Giazotto dalla Biblioteca Statale di Dresda subito dopo la fine dell'ultimo conflitto, dopo che era stato già compilato e pubblicato l'indice tematico dell'opera albinoniana (R. Giazotto, **Albinoni, musico di violino dilettante veneto** [1671-1750], Milano, Bocca, 1945).

Remo Giazotto, come prima cosa, ha proceduto alla realizzazione del basso numerato superstite (integrandolo con una breve introduzione) sul quale, avvalendosi dei due episodi melodici (6 battute in tutto), ha creato e disposto un nesso narrativo che aderisse con assoluta fedeltà al tessuto armonico che il basso numerato suggeriva.

Data la particolare atmosfera mistica creata dal basso numerato (doveva di certo trattarsi di una **Sonata a tre** da chiesa e non da camera) Remo Giazotto ha creduto opportuno affidare la realizzazione del basso numerato all'organo anziché al clavicembalo.

Notice

Le présent « Adagio » faisait partie d'une **Sonate à trois** d'Albinoni, en sol mineur, sans numéro d'opus, dont seuls nous sont parvenus deux fragments de la partie de premier violon (manuscrits) et la basse chiffrée (imprimée). Cette basse chiffrée, avec les fragments de premier violon, fut envoyée à M. Giazotto par la Bibliothèque d'Etat de Dresde, aussitôt après la fin de la dernière guerre, après la publication de l'index thématique de l'Oeuvre d'Albinoni (R. Giazotto, **Albinoni, musicien violoniste dilettante de Venise** [1671-1750] Milan, Bocca, 1945).

M. Giazotto, en premier lieu, a réalisé la basse chiffrée (en la complétant d'une brève introduction) sur laquelle, en utilisant les deux phrases mélodiques (6 mesures au total), il a créé un lien narratif se superposant avec une fidélité absolue à la trame harmonique suggérée par la basse chiffrée.

En raison de l'ambiance mystique particulière créée par la basse chiffrée (il devait s'agir d'une **Sonate à trois** d'église et non de chambre) M. Giazotto a cru bon de confier la réalisation de la basse chiffrée à l'orgue, au lieu du clavecin.

Note

This « Adagio » was part of a **Sonata a tre** in G minor by Albinoni, without opus number; the only remaining parts are that of the figured bass (in printed form) and two first violin fragments in manuscript form. The part of the figured bass and the two fragments were sent by the State Library of Dresden to Mr. Giazotto soon after the end of the second world war, after the thematic index of Albinoni's works (R. Giazotto, **Albinoni, musico di violino dilettante veneto** [1671-1750], Milan, Bocca, 1945) had already been prepared and published.

The first move towards the reconstruction of the work was provided by the realization of the figured bass, to which a brief introduction was added. Using this figured bass and the two thematic elements (6 bars in all) the whole was pieced together and composed in full accordance with the harmonic tissue suggested by the figured bass.

The organ, instead of the harpsichord, has been indicated for the figured bass in consideration of the mystic atmosphere created by it and on the assumption that this might have been a **Sonata a tre** « da chiesa » and not « da camera ».

Zur Einführung

Das vorliegende « Adagio » war ein Teil der **Sonata a tre** in G-moll ohne Opuszahl von Albinoni. Davon sind uns lediglich ein gedruckter bezifferter Baß und zwei handgeschriebene Fragmente der 1. Violine erhalten. Der bezifferte Baß mit den Fragmenten der Stimme der 1. Violine wurde Herrn Prof. Giazotto unmittelbar nach dem letzten Krieg von der Dresdner Staatsbibliothek übersandt, nachdem schon das thematische Verzeichnis der Werke Albinonis verfaßt und veröffentlicht war (R. Giazotto, **Albinoni, musico di violino dilettante veneto** [1671-1750], Milano, Bocca, 1945).

Remo Giazotto setzte zunächst den Generalbass aus (er ergänzte ihn durch eine kurze Einleitung), auf dessen Basis er unter Benutzung der vorhandenen Melodiefragmente (im ganzen sechs Takte) einen melodischen Zusammenhang herstellte und mit absoluter Werktreue ein harmonisches Gewebe aufbaute, das dem Generalbass gerecht wird.

Da der bezifferte Baß eine akzentuiert mystische Stimmung schuf (es handelte sich sicher um eine **Sonata a tre** « da chiesa » und nicht « da camera »), hielt es der Herausgeber für angebracht, den Generalbaß der Orgel statt dem Cembalo anzuvertrauen.

Durata: min. 10

Albinoni - Giazotto

ADAGIO in SOL min.

PER ARCHI E ORGANO

su uno spunto tematico e su un basso numerato di Tomaso Albinoni

4

30   I. SOLO *(cadenzando)*

35

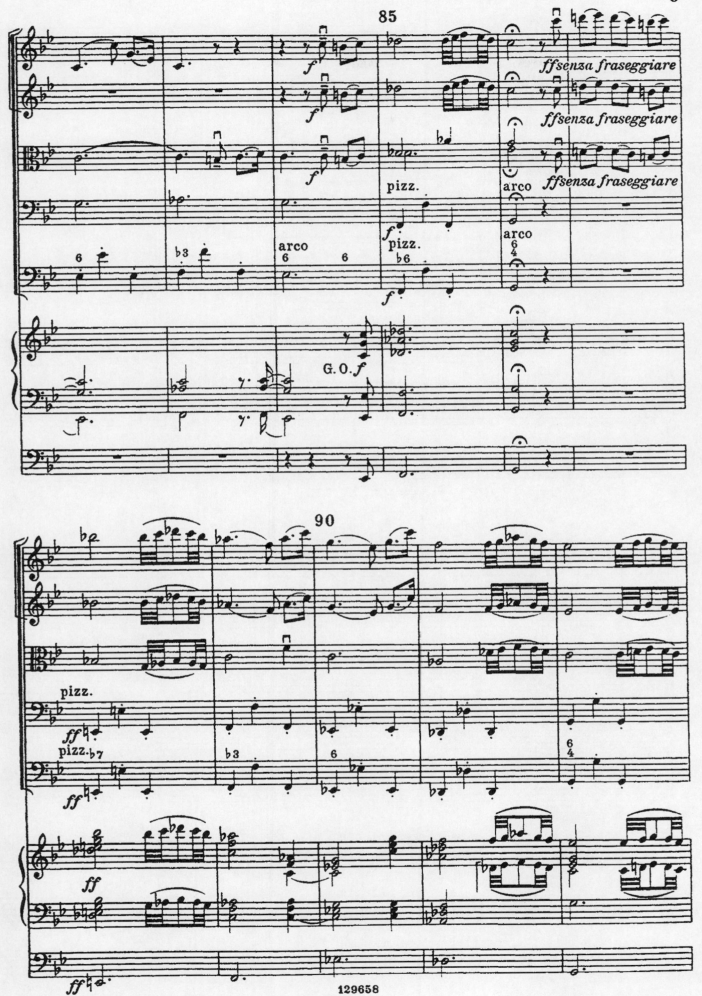

9

129658

partiture in 8°

di musica contemporanea

BETTINELLI

124585 Corale ostinato (dalla « Sinfonia da camera »), per orchestra
130369 Episodi per orchestra
129937 Musica per archi
130091 Preludio elegiaco, per orchestra
128863 Sinfonia breve, per orchestra

CAMMAROTA

130304 Preludio, andante e toccata, per pianoforte e orchestra

CECE

130067 3° Concerto, per archi, pianoforte e timpani

FUGA

129533 Concertino, per tromba e archi

GHEDINI

130673 Ouverture pour un concert, per orchestra
129861 Sonata da concerto, per flauto e orchestra

JACHINO

130424 2° Concerto, per pianoforte e orchestra

MANNINO

129392 Sinfonia americana, per orchestra

MONTANI

124003 Concertino in mi, per pianoforte e orchestra d'archi

MORTARI

129604 Arioso e toccata (La Strage degli innocenti), per orchestra

PETRASSI

124985 Magnificat, per soprano leggero, coro e orchestra

PORRINO

123087 Sardegna. Poema sinfonico
130264 Sonar per musici. Concerto, per archi e clavicembalo

ROTA

129253 Variazioni sopra un tema gioviale, per orchestra

TESTI

128994 Crocifissione, per coro d'uomini, archi, ottoni, timpani e 3 pianoforti

TOSATTI

129759 Divertimento, per clarinetto, fagotto, violino, viola e violoncello

VENTICINQUE

129885 Partita, per orchestra d'archi

VERETTI

129642 Sinfonia italiana (Il Popolo e il profeta), per orchestra

VILLA-LOBOS

129643 Bachianas brasileiras n. 2, per orchestra

VOGEL

129868 3 Suites (dal Thyl Claes), per orchestra

WOLF-FERRARI

129805 Il Campiello. 2 Pezzi per orchestra: 1) Intermezzo - 2) Ritornello

ZAFRED

129699 Ouverture sinfonica, per orchestra
129830 6ª Sinfonia (1958), per orchestra
129607 III Trio, per violino, violoncello e pianoforte

ZIMMERMANN

129994 Omnia tempus habent (1957). Cantata per soprano solista e 17 strumenti su testi della Vulgata (it.-ted.)